PETITS PRATIQUE CUISINE

En souvenir de notre
déjeuner du 8 Juin 2008
à Paris. Ses
Bises
Valérie

Crêpes et galettes

Maya Barakat-Nuq

Photos : ALEXANDRA DUCA
Stylisme : GARLONE BARDEL

Avec la collaboration de **LAGRANGE**

HACHETTE
Pratique

Sommaire

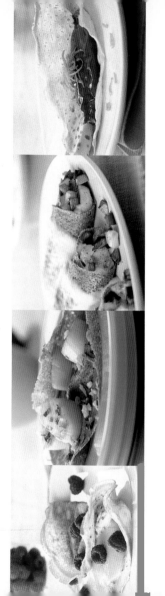

Signification des symboles

★ très facile

★★ facile

★★★ difficile

 bon marché

€€ raisonnable

€€€ cher

Crêpe de froment : recette de base

pour **12 crêpes** – préparation : **10 minutes** – repos de la pâte : **1 à 2 heures** –
cuisson : **2 minutes par crêpe**

difficulté : ★★★ – coût : 🖧

- 250 g de farine de froment
- 50 cl de lait
- 3 œufs
- 1 cuil. à soupe d'huile
- 1 cuil. à soupe d'eau de fleur d'oranger
- 1 pincée de sel

1 Mettez la farine dans une terrine. Creusez un puits au centre et cassez-y les œufs. Ajoutez le sel, l'huile et l'eau de fleur d'oranger. Mélangez soigneusement.

2 Versez progressivement le lait tout en fouettant énergiquement, jusqu'à l'obtention d'une pâte fluide. Couvrez d'un linge propre et laissez reposer pendant 1 à 2 h, à température ambiante.

3 Faites chauffer une poêle anti-adhésive (ou deux, pour aller plus vite). Versez-y une louche de pâte que vous répartissez bien, et faites-y cuire une crêpe fine. Renouvelez cette opération jusqu'à épuisement de la pâte, en ayant soin de la remuer à chaque fois avant d'y prélever une autre louche. Réservez les crêpes au fur et à mesure dans le four préchauffé à 50 °C (th. 1).

Conseil

Si au moment de faire cuire les crêpes, vous constatez que la pâte a épaissi, détendez-la avec un peu de lait ou d'eau. Préparez vos crêpes à l'avance, vous n'aurez qu'à les réchauffer au moment de les garnir. Vous pouvez parfumer la pâte à crêpes, selon votre goût, avec un peu de cannelle, du rhum, du cognac ou du calvados.

Chocolat-orange

pour **1 crêpe** – préparation : **15 minutes**

difficulté : ★ – coût : ⊜

- 1 crêpe
- 40 g de chocolat noir
- 1 noisette de beurre
- 1 cuil. à café de jus d'orange
- 1 cuil. à café de zeste d'orange râpé
- 1 cuil. à café d'eau de fleur d'oranger ou de liqueur d'orange

1 Faites fondre doucement le chocolat au bain-marie avec la cuillerée à café de jus d'orange. Ajoutez-y la cuillerée à café d'eau de fleur d'oranger ou la liqueur d'orange, et mélangez bien.

2 Faites réchauffer la crêpe à feu doux pendant 30 secondes de chaque côté. Beurrez-la et versez dessus le chocolat parfumé à l'orange. Parsemez le zeste d'orange et pliez la crêpe. Servez aussitôt.

Variante

Vous pouvez servir cette crêpe telle quelle ou bien la faire flamber. Pour cela, faites chauffer 1 cuillerée à soupe de Cointreau ou de Grand Marnier, arrosez-en la crêpe, et faites craquer une allumette près de la crêpe.

Chocolat-noix de coco

pour **1 crêpe** – préparation : **10 minutes**

difficulté : ★ – coût : ⬤

- 1 crêpe
- 30 g de chocolat
- 1 noisette de beurre
- 2 cuil. à café de noix de coco râpée

1 Faites fondre doucement le chocolat au bain-marie avec 1 cuillerée à café d'eau. Réservez au chaud.

2 Faites réchauffer la crêpe si besoin est – 30 secondes de chaque côté –, enduisez-la de beurre, puis de chocolat fondu. Parsemez-la de noix de coco râpée.

3 Vous pouvez plier la crêpe en longueur, c'est-à-dire en ramenant deux côtés opposés pour laisser apparaître la garniture ou choisir la présentation proposée sur la photo ci-contre.

Conseil

Pour une formule plus raffinée, décorez cette crêpe avec quelques tranches de noix de coco fraîche, ou une boule de glace à la noix de coco.

À la banane flambée

pour **1 personne** – préparation : **15 minutes**

difficulté : ★★ – coût : ◉ ◉

- 1 crêpe
- 1 banane
- 25 g de beurre
- 3 cuil. à soupe de rhum
- 2 cuil. à soupe de sucre
- 1 cuil. à soupe de jus de citron

1 Épluchez la banane. Coupez-la en deux dans le sens de la longueur, puis en deux dans le sens de la largeur.

2 Réservez 1 noisette de beurre pour la crêpe. Faites fondre le reste dans une poêle et faites-y cuire les morceaux de banane 5 min, à feu moyen, en ayant soin de les retourner. Ajoutez-y le jus de citron, le sucre et 1 cuillerée à soupe de rhum. Mélangez et laissez cuire encore 1 min. Réservez au chaud.

3 Réchauffez la crêpe 30 secondes de chaque côté, beurrez-la et faites-la glisser sur une assiette chaude. Garnissez-la de morceaux de banane. Faites chauffer le reste du rhum, arrosez-en la crêpe et flambez.

Variante
Vous pouvez, de la même façon, préparer des crêpes à la normande. Il suffit de remplacer les bananes par des pommes, et le rhum par du calvados.

À la crème de marron

pour **1 personne** – préparation : **10 minutes**

difficulté : ★ – coût : 🍥

- 1 crêpe
- 1 noisette de beurre
- 2 cuil. à soupe de crème de marron
- crème Chantilly

1 Réchauffez rapidement la crêpe pendant 30 secondes de chaque côté. Ajoutez la noisette de beurre.

2 Étalez la crème de marron sur la crêpe. Vous pouvez la plier en quatre. Servez-la, selon votre goût, décorée de crème Chantilly.

Conseil
Vous pouvez parfumer cette crêpe avec un filet de liqueur de marron, de cacao, ou encore de café.

À l'alsacienne

pour **1 crêpe** – préparation : **20 minutes**

difficulté : ★ ★ – coût : 🌓 🌓

- 1 crêpe
- 1 noisette de beurre
- 2 cuil. à soupe de frangipane
- 50 g de framboises
- Eau-de-vie de framboise

1 Faites réchauffer la crêpe 30 secondes de chaque côté. Enduisez-la de beurre.

2 Mélangez la frangipane aux framboises et garnissez-en la crêpe. Pliez-la en quatre ou en cornet. Disposez-la sur l'assiette de service.

3 Faites chauffer un peu d'eau-de-vie de framboise, arrosez-en la crêpe, flambez et servez.

Conseil
Il est préférable de préparer votre pâte à crêpes en la parfumant à l'eau-de-vie de framboise.

Cornet glacé

pour **1 personne** – préparation : **5 minutes**

difficulté : ★ – coût : ◔

- 1 crêpe
- 1 boule de glace au parfum de votre choix

Pour la garniture :

- Amandes effilées, crème Chantilly, coulis de fruits, sauce au chocolat, caramel liquide...

1 Disposez la boule de glace sur le bord de la crêpe.

2 Roulez la crêpe en forme de cornet en laissant bien apparaître la boule de glace.

3 Présentez ce cornet glacé sur une assiette à dessert.

4 Agrémentez-le selon votre inspiration, ou selon le goût du dégustateur, avec de la crème Chantilly, du caramel, un coulis de fruits, des amandes effilées, des raisins secs... Facile à réaliser, ce dessert plaît beaucoup aux petits gourmands.

Variante

Vous pouvez également garnir ces cornets avec une crème ganache. Pour cela, il vous faut 250 g de chocolat à pâtisser, 60 g de beurre, 25 cl de crème fleurette et 300 g d'amandes effilées ou de noix de coco râpée pour la décoration. Faites fondre le chocolat et le beurre au bain-marie. Ajoutez la crème fleurette tout en mélangeant. Lorsque toute la crème est absorbée, laissez refroidir, en remuant de temps à autre. Garnissez les cornets et parachevez le décor avec les amandes ou la noix de coco râpée.

Paniers de crêpes soufflées

pour **6 personnes** – préparation : **25 minutes** – cuisson : **10 à 15 minutes**

difficulté : ★ ★ ★ – coût : 🖐 🖐 🖐

- 6 crêpes

Pour le coulis :
- 400 g de fruits rouges mélangés (myrtilles, fraises des bois, groseilles)
- 250 g de fraises
- 50 g de sucre

Pour le soufflé :
- 4 œufs
- 1 pincée de sel
- 100 g de sucre cristal
- 1 cuil. à soupe de jus de citron
- 2 cuil. à soupe de Cointreau
- Les zestes de 2 citrons râpés
- 2 cuil. à soupe de Maïzena

Pour les ramequins :
- 100 g de beurre

1 Préparez la pâte à crêpes comme indiqué en page 4 et faites cuire 6 crêpes. Découpez-les ensuite au format de vos ramequins, bords compris.

2 Lavez et équeutez les 250 g de fraises. Préparez un coulis en les mixant avec 50 g de sucre.

3 Préparez le soufflé : cassez les œufs en séparant les blancs des jaunes. Montez les blancs en neige très ferme après leur avoir ajouté la pincée de sel.

4 Mélangez et fouettez énergiquement les jaunes d'œufs avec le sucre, ajoutez le jus de citron, le Cointreau, les zestes de citron râpés et la Maïzena.

5 Incorporez délicatement ce mélange aux blancs en neige, en veillant à ne pas faire retomber l'ensemble. Allumez le four à 150 °C (th. 5) et beurrez 6 ramequins.

6 Tapissez l'intérieur de chaque ramequin avec une crêpe en ayant soin de ne pas la déchirer. Roulez le bord de la crêpe s'il déborde.

7 Répartissez l'appareil à soufflé dans chaque « panier », enfournez et laissez cuire de 10 à 15 min. Servez aussitôt, car le soufflé n'attend pas, il risque de retomber.

8 Pour le service, vous pouvez démouler les paniers et les présenter entourés de fruits rouges et de coulis. Si l'opération vous paraît périlleuse, servez-les dans les ramequins, sur une assiette décorée de fruits rouges et de coulis.

Conseil

Choisissez des ramequins en rapport avec la taille des crêpes. Si les ramequins vous semblent trop petits, vous pouvez utiliser des bols pouvant aller au four. Dans ce cas, ajoutez 1 ou 2 œufs supplémentaires dans l'appareil à soufflé.

Variante

Si vous êtes pressé, utilisez du coulis de fraises ou de framboises tout prêt.

Gâteau de crêpes, coulis de fraises

pour **6 personnes** – préparation : **25 minutes**

difficulté : ★ ★ ★ – coût : €€

• 1 douzaine de crêpes

Pour la crème pâtissière :

• 50 cl de lait
• 75 g de sucre en poudre
• 1 sachet de sucre vanillé
• 50 g de farine
• 2 œufs + 1 jaune

Pour le coulis :

• 300 g de fraises
• 150 g de sucre en poudre

Pour le décor :

• Fraises, feuilles de menthe

1 Préparez la crème pâtissière : dans une terrine, mélangez le sucre, la farine, le sucre vanillé, les œufs et le jaune. Versez dessus le lait bouillant, doucement et tout en mélangeant.

2 Lorsque tout le lait est absorbé, mettez la crème dans une casserole posée sur feu doux et mélangez jusqu'à ce qu'elle épaississe. Laissez refroidir, en remuant de temps à autre pour éviter qu'une peau ne se forme à la surface de la crème.

3 Préparez le coulis : lavez et équeutez les fraises. Passez-les à la centrifugeuse, puis au tamis. Ajoutez le sucre, mélangez. C'est prêt !

4 Montez le gâteau en alternant les couches de crêpes, de crème et de coulis. Terminez par la crème et le coulis. Décorez avec quelques fraises et des petits bouquets de menthe. Servez ce gâteau très frais, découpé en parts.

Conseil
Vous pouvez remplacer la crème pâtissière par de la crème fraîche fouettée avec du sucre glace.

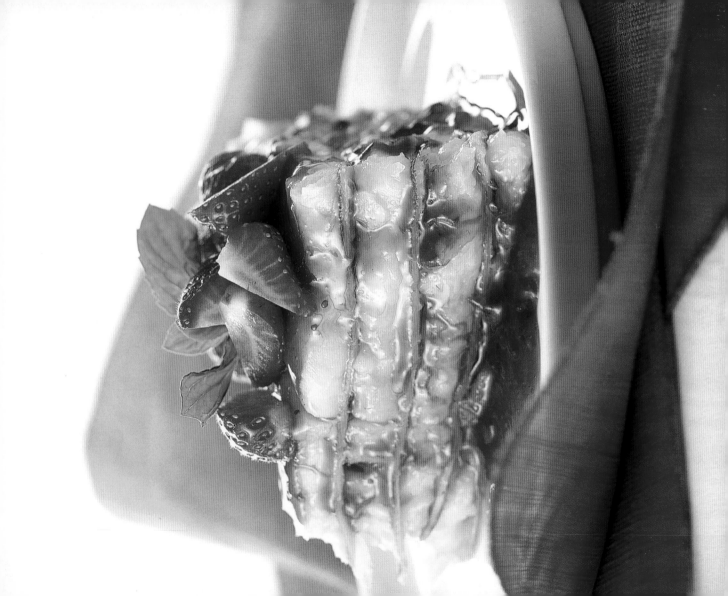

Galette de sarrasin : recette de base

pour **12 à 15 galettes** – préparation : **10 minutes** – repos : **de quelques heures à 1 nuit** – cuisson : **2 minutes par crêpe**

difficulté : ★★ – coût : ⬤⬤

- 500 g de farine de sarrasin
- 100 g de farine de froment
- 2 œufs
- 25 cl de lait
- 150 g de beurre demi-sel ou doux fondu
- 1 cuil. à café de sel

Pour la cuisson :
- Huile ou beurre fondu

Pour beurrer les galettes :
- 250 g de beurre mou

1 Versez les deux farines dans une grande terrine, ajoutez le sel, creusez un puits au centre et cassez-y les œufs. Travaillez le tout énergiquement avec une cuillère en bois. Versez dessus, petit à petit, le lait et 75 cl d'eau tout en continuant de battre à l'aide d'un petit fouet. Vous devez obtenir une pâte fluide et lisse mais pas trop liquide. Incorporez-lui le beurre fondu et mélangez bien. Laissez reposer à couvert pendant plusieurs heures.

2 Mélangez à nouveau la pâte juste avant de commencer la cuisson ; ajoutez un peu de lait si vous la trouvez trop épaisse. Graissez une poêle anti-adhésive à bord plat ou une galétoire avec un coton imbibé d'un peu de matière grasse (huile ou beurre fondu, selon votre goût). Prélevez, avec une louche, la quantité de pâte nécessaire en fonction de la taille de l'ustensile utilisé, et étendez-la rapidement en faisant tourner la galétoire. Laissez cuire 1 min à feu moyen. Retournez la galette et parsemez-la de petits morceaux de beurre. Faites cuire jusqu'à ce que le centre soit cuit. Elle est alors prête à être dégustée, ou garnie.

La campagnarde

pour **1 galette** – préparation : **10 minutes**

difficulté : ★ ★ – coût : 🪙 🪙

- 1 galette
- 1 tranche de poitrine fumée ou 1 dizaine de lardons
- 1/4 d'oignon
- 2 rondelles de tomate
- 1 noix de beurre
- 1 cuil. à café d'huile
- Sel, poivre

1 Épluchez et émincez l'oignon. Faites chauffer l'huile dans une poêle et faites-y blondir l'oignon. Ajoutez les lardons ou la tranche de poitrine fumée et faites rissoler 2 à 3 min. Réservez.

2 Faites chauffer une poêle anti-adhésive et déposez-y la galette. Enduisez-la de beurre, ajoutez les oignons, les lardons (ou la tranche de poitrine) et les rondelles de tomate. Salez, poivrez et laissez cuire 1 min.

3 Pliez les bords de la galette pour former un carré et servez sans attendre.

La forestière

pour **1 galette** – préparation : **15 minutes**

difficulté : ★ ★ ★ – coût : 🍴 🍴

- 1 galette
- 150 g de champignons de Paris ou mélangés (girolles, chanterelles...)
- 1 cuil. à café d'oignon haché
- 1 pointe d'ail écrasé
- 1 cuil. à café de persil haché
- 1 cuil. à soupe d'huile
- 1 noisette de beurre
- Sel, poivre

1 Nettoyez les champignons en éliminant les pieds terreux et en les rinçant sous un filet d'eau. Si vous avez choisi des gros champignons, coupez-les en petits morceaux.

2 Mettez les champignons dans une poêle anti-adhésive et laissez-les dégorger sur feu doux, pendant 1 à 3 min, en les remuant souvent.

3 Ajoutez l'huile, l'ail écrasé et l'oignon haché. Salez, poivrez et laissez cuire 3 min. Parsemez de persil, éteignez le feu et mélangez encore. Réservez au chaud.

4 Faites chauffer la galette 30 secondes sur une face. Retournez-la et enduisez-la de beurre avant de répartir les champignons. Présentez la galette pliée en deux ou en rectangle, en ne rabattant que deux côtés.

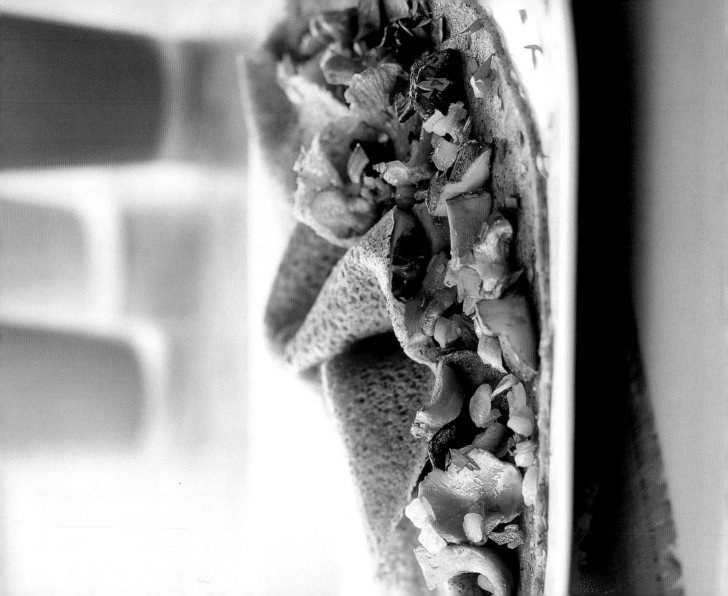

Au roquefort et aux noix

pour **1 galette** – préparation : **15 minutes**

difficulté : ★★ – coût : € € €

- 1 galette
- 1 noisette de beurre
- 30 g de roquefort
- 3 ou 4 belles noix sèches
- 1 cuil. à soupe de crème fraîche
- 20 g de raisins secs
- 2 cuil. à soupe de cognac ou de vin blanc
- 1 petite grappe de raisin frais (facultatif)
- Poivre

1 Sortez le roquefort du réfrigérateur 1 h à l'avance pour qu'il soit plus facile à travailler. Mélangez-le avec la crème fraîche et poivrez.

2 Faites tremper les raisins secs dans un peu de cognac ou de vin. Cassez les noix et détaillez les cerneaux en deux ou trois morceaux.

3 Faites réchauffer la galette 30 secondes de chaque côté, beurrez-la, puis étalez dessus la crème de roquefort. Parsemez les morceaux de noix. Pliez la galette en ramenant deux côtés opposés de façon à laisser voir la garniture. Égouttez les raisins secs et épongez-les. Servez cette galette chaude, accompagnée de raisins secs et/ou de raisin frais.

Variante

Vous pouvez également garnir la galette avec les raisins secs macérés. Pour varier les saveurs, essayez des fromages persillés plus ou moins forts : fourme d'Ambert, bleu d'Auvergne, stilton (fromage anglais) ou gorgonzola (italien).

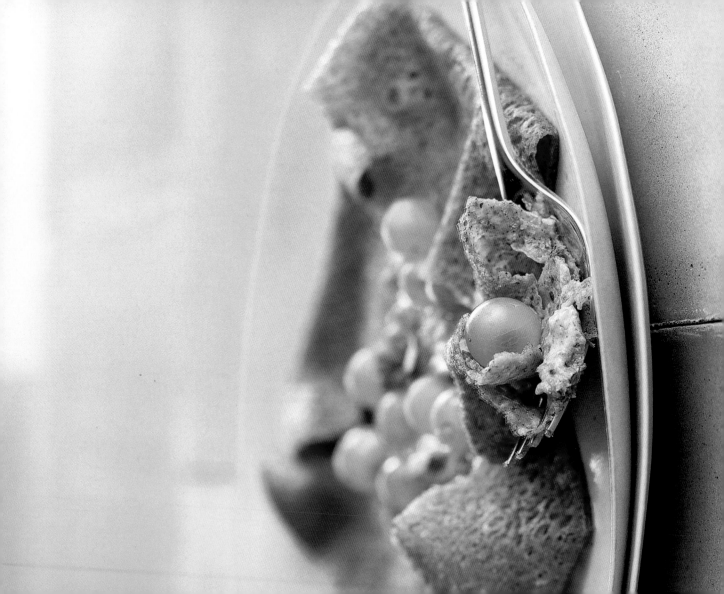

Au fromage de chèvre

pour **1 galette** – préparation : **15 minutes**
difficulté : ★ ★ – coût :

- 1 galette
- 1 crottin de Chavignol
- 2 ou 3 feuilles de salade
- 1/4 de concombre
- 1 cuil. à soupe de crème fraîche
- 2 cuil. à soupe de vinaigrette
- 1 cuil. à café de ciboulette hachée
- Sel, poivre

1 Allumez le four à 180 °C (th. 6). Coupez le crottin de Chavignol en deux dans l'épaisseur. Enveloppez les deux moitiés de fromage dans une feuille de papier d'aluminium, enfournez et laissez fondre légèrement pendant environ 10 min. Ouvrez les papillotes et allumez la position gril pour dorer les crottins.

2 Pendant ce temps, lavez les feuilles de salade, épluchez le concombre et détaillez-le en fines rondelles. Posez les feuilles de salade, les rondelles de concombre sur un coin de l'assiette de service. Assaisonnez-les de vinaigrette et parsemez de ciboulette. Salez et poivrez.

3 Faites chauffer la galette 30 secondes sur une face. Retournez-la, étalez la crème fraîche et disposez dessus les deux moitiés de crottin fondu. Pliez la galette en carré ou en rectangle et faites-la glisser sur l'assiette de service. Servez aussitôt.

Variante
Vous pouvez également essayer cette recette avec des quartiers de brie, de camembert...
Attention ! Ces fromages fondent plus vite que le crottin de Chavignol.

[note manuscrite : This one will be for Tim when he'll be able to make goat's cheese...]

Au jambon-fromage

pour **1 galette** – préparation : **5 minutes**

difficulté : ★ – coût : 🪙

- 1 galette
- 1 tranche de jambon cuit
- 30 g de gruyère râpé
- 1 noisette de beurre
- Poivre du moulin

1 Taillez la tranche de jambon en petits morceaux.

2 Faites chauffer la poêle, puis déposez-y délicatement la galette. Ajoutez la noisette de beurre et étalez-la sur toute la surface. Réchauffez la galette 30 secondes à feu moyen, puis répartissez les morceaux de jambon. Parsemez du gruyère et donnez un tour de moulin à poivre.

3 Ramenez les bords de la galette de façon à former un carré et faites-la glisser sur une assiette chaude de préférence.

Conseil

Vous pouvez aussi servir la tranche de jambon entière. Il faudra alors la faire réchauffer légèrement à part, avant d'en garnir la galette.

La saucisse-fromage

pour **1 galette** – préparation : **10 minutes**

difficulté : ★ – coût : 💶 💶

- 1 galette
- 1 saucisse de Francfort
- 30 g de gruyère râpé
- 1 cuil. à soupe de crème fraîche
- 1 noisette de beurre
- Poivre du moulin

1 Faites réchauffer la saucisse de Francfort au micro-ondes ou faites-la cuire à la poêle. Réservez.

2 Réchauffez la galette 30 secondes sur une face, retournez-la et étalez la crème. Ajoutez la noisette de beurre et donnez un tour de moulin à poivre.

3 Vous pouvez choisir de servir la saucisse entière, recouverte de fromage râpé. Vous présenterez alors la galette roulée et elle sera dégustée, avec les doigts, comme un hot-dog. Mais vous pouvez aussi détailler la saucisse en rondelles. Garnissez-en la galette, parsemez du fromage râpé et servez-la pliée en deux, en rectangle, en carré, ou entourée autour de la saucisse.

Conseil
À l'heure de l'apéritif, faites une présentation sympathique en coupant la crêpe en petites rondelles.

L'œuf miroir

pour **1 galette** – préparation : **5 minutes**

difficulté : ★ – coût : ◉

- 1 galette
- 1 œuf
- 1 noisette de beurre salé
- Poivre du moulin

1 Faites réchauffer la galette 30 secondes d'un côté, retournez-la et enduisez l'autre côté de beurre.

2 Cassez l'œuf sur la galette en étalant délicatement le blanc pour le faire cuire plus vite, mais sans casser le jaune. Poivrez.

3 Ramenez uniquement les deux bords verticaux pour former un rectangle et laisser voir ainsi l'œuf, sans le laisser refroidir.

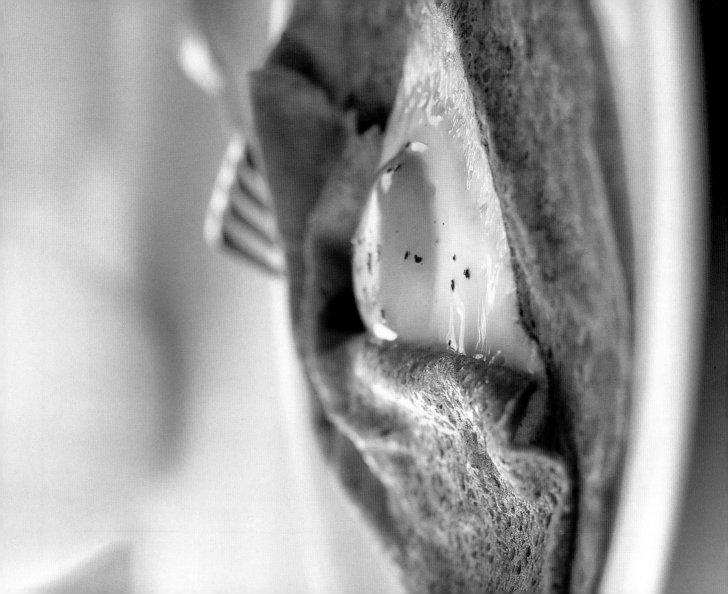

La provençale

pour **1 galette** – préparation : **15 minutes**

difficulté : ★ ★ ★ – coût : € €

- 1 galette
- 1 tomate
- 1 petit oignon
- 1 pointe d'ail écrasé
- 1 pincée d'herbes de Provence
- 5 ou 6 petites olives noires dénoyautées
- 1 ou 2 filets d'anchois
- 1 noisette de beurre
- 1 cuil. à soupe d'huile d'olive
- Poivre du moulin

Pour le décor :
- Filet d'anchois et quartiers de tomate

1 Épluchez l'oignon et hachez-le très finement. Faites-le revenir dans l'huile d'olive pendant 2 min. Ajoutez la tomate coupée en quartiers, l'ail, du poivre, les herbes de Provence, et poursuivez la cuisson en mélangeant pendant 5 min. Ajoutez les olives.

2 Rincez à l'eau les filets d'anchois et épongez-les avec un papier absorbant.

3 Faites réchauffer la galette 30 secondes sur un côté, retournez-la, étalez le beurre, puis la préparation « à la provençale ». Ajoutez les filets d'anchois.

4 Roulez la crêpe ou pliez-la en quatre. Servez-la décorée d'un filet d'anchois et de quartiers de tomate.

La marinière

pour **4 personnes** – préparation : **40 minutes** – cuisson : **35 minutes**

difficulté : ★★ – coût : 🪙 🪙

- 8 galettes
- 1 litre de moules
- 1 carotte
- 2 échalotes
- 1 gousse d'ail
- 1 bouquet garni
- 1 verre de vin blanc de table

- 20 g de beurre
- 20 cl de crème fraîche
- 50 g de gruyère
- Poivre

1 Grattez et lavez les moules. Éliminez celles qui sont ouvertes ou cassées.

2 Épluchez les échalotes, l'ail et la carotte. Hachez finement les deux premiers et coupez la carotte en petits dés. Faites fondre le beurre dans une grande cocotte à fond épais et faites rissoler le tout 2 à 3 min en remuant.

3 Versez les moules dans la cocotte. Poivrez et ajoutez le bouquet garni. Laissez cuire à couvert et à feu moyen pendant 10 min. Ajoutez le verre de vin blanc, faites sauter les moules et poursuivez la cuisson pendant 5 à 10 min, jusqu'à ce que les moules s'ouvrent. Laissez tiédir un peu, puis décoquillez les moules (réservez le jus de cuisson).

4 Allumez le four à 200 °C (th. 7). Garnissez les galettes avec quelques moules, puis roulez-les. Placez-les ensuite dans un plat à gratin. Étalez dessus la crème fraîche délayée avec quelques cuillerées du jus de cuisson des moules. Parsemez du gruyère et enfournez pour 10 à 15 min.

Conseil
Cette galette peut constituer un plat de résistance, escortée d'une salade bien garnie.

Aux coquilles Saint-Jacques

pour **1 galette** – préparation : **20 minutes**

difficulté : ★ ★ ★ – coût : ⬤ ⬤ ⬤

- 1 galette
- 2 ou 3 coquilles Saint-Jacques
- 1 pointe d'ail écrasé
- 1 cuil. à café de persil haché
- 2 cuil. à soupe de whisky ou de calvados
- 1 noix de beurre
- 1 cuil. à soupe d'huile d'olive

1 Ouvrez les coquilles et prélevez-en la noix et le corail (ou faites-le faire par votre poissonnier). Lavez-les sous l'eau et séchez-les.

2 Faites chauffer l'huile d'olive dans une poêle et faites-y revenir les noix de Saint-Jacques 1 min de chaque côté. Ajoutez-y l'ail et le persil. Réservez-les au chaud.

3 Faites réchauffer la galette 30 secondes d'un côté, retournez-la et beurrez-la. Déposez la préparation aux noix de Saint-Jacques sur la galette et pliez-la de façon à laisser voir les coquilles. Faites-la glisser sur une assiette chaude.

4 Faites chauffer le whisky (ou le calvados) et versez-le sur la galette. Pour un effet plus spectaculaire, faites flamber l'alcool à table.

Au saumon fumé, crème fraîche

pour **1 galette** – préparation : **5 minutes**

difficulté : ★★ – coût : ⊕ ⊕ ⊕

- 1 galette
- 1 tranche de saumon fumé
- 2 cuil. à soupe de crème fraîche
- 1 cuil. à café de jus de citron
- 2 brins d'aneth ciselés
- Quelques baies rouges
- Quelques œufs de saumon (facultatif)
- 1 noix de beurre
- Sel, poivre

Pour le décor :
- Brins d'aneth et demi-citron

1 Fouettez la crème fraîche avec le jus de citron, l'aneth et les baies rouges. Salez et poivrez.

2 Faites réchauffer la galette 30 secondes de chaque côté. Beurrez-la et disposez-la sur une assiette de service.

3 Étalez la tranche de saumon fumé sur la galette et pliez celle-ci en formant un triangle pour laisser apparaître le saumon. Déposez par-dessus les œufs de saumon. Servez cette crêpe, escortée de crème fraîche, de brins d'aneth et d'un demi-citron.

Crêpes croquantes à l'espagnole

pour **15 crêpes** – préparation : **15 minutes** – repos de la pâte : **3 heures** –
cuisson : **20 minutes**

difficulté : ★★ ★ – coût : ⬤

- 250 g de farine
- 1 sachet de levure
- 1 cuil. à café de sucre
- 1 cuil. à café de sel

Pour la cuisson :
- Huile pour friture

Pour servir :
- Sucre glace ou mélasse liquide

1 Diluez la levure dans un peu d'eau tiède et ajoutez le sucre. Laissez fermenter pendant 5 min.

2 Versez la farine dans une terrine, ajoutez la levure délayée et le sel. Versez dessus 20 cl d'eau tout en pétrissant, jusqu'à l'obtention d'une boule de pâte bien lisse et bien molle. Couvrez avec un torchon et laissez reposer 3 h dans un endroit tiède.

3 Formez de petites boules avec la pâte. Aplatissez-les le plus finement possible au rouleau.

4 Faites chauffer de l'huile dans une friteuse et faites-y cuire les crêpes jusqu'à ce qu'elles soient croquantes. Retirez-les avec une écumoire et mettez-les dans une grande assiette garnie d'un papier absorbant. Dégustez-les chaudes ou froides, saupoudrées de sucre glace ou arrosées de mélasse liquide.

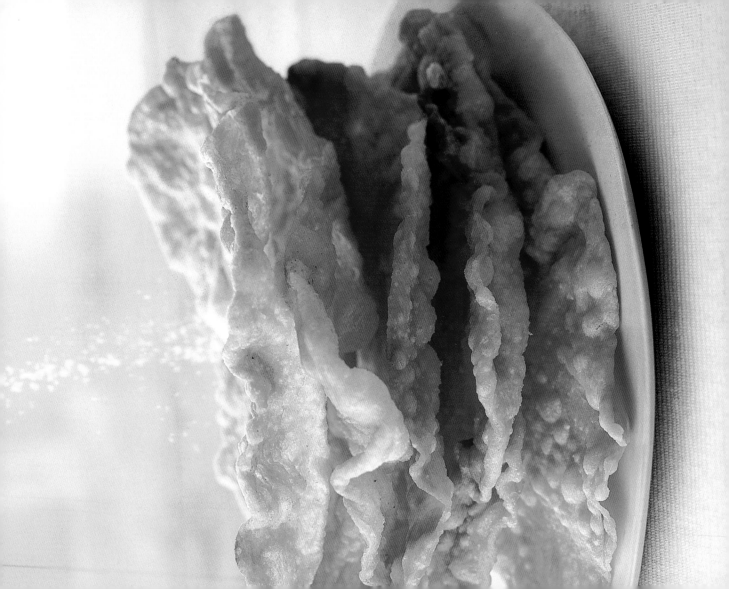

Galettes farcies à l'italienne

pour **4 personnes** – préparation : **20 minutes** – cuisson : **10 à 15 minutes**

difficulté : ★★ – coût : 🍽️🍽️

- 8 galettes assez épaisses
- 150 g de jambon italien (parme ou san daniele)
- 200 g de ricotta
- 100 g de mozzarella
- 4 tranches de pain de mie
- 2 œufs
- 3 tomates
- 1 gousse d'ail
- 1 échalote
- 3 cuil. à soupe d'huile d'olive
- 5 ou 6 feuilles de basilic
- Sel, poivre

1 Coupez le jambon et la mozzarella en petits morceaux. Émiettez le pain de mie dans les œufs battus en omelette. Ajoutez-y la ricotta, le jambon et la mozzarella, puis salez et poivrez.

2 Farcissez les huit galettes avec cette préparation et rangez-les ensuite dans un plat à four.

3 Allumez le four à 180 °C (th. 6). Écrasez l'ail au presse-ail, hachez l'échalote et coupez les tomates en petits dés. Faites sauter ce mélange 3 à 4 min dans l'huile d'olive. Versez sur les galettes et enfournez pour 10 à 15 min, le temps de les réchauffer et de laisser fondre les fromages.

4 Juste avant de servir, donnez un tour de moulin à poivre, ajoutez un petit filet d'huile d'olive et ciselez les feuilles de basilic au-dessus du plat.

Variante
Vous pouvez remplacer le jambon italien par du jambon cru, sec ou de montagne.

Crêpe Parmentier à la lyonnaise

pour **4 personnes** – préparation : **15 minutess** – cuisson : **10 minutes**

difficulté : ★★ – coût : 💶💶

- 4 grosses pommes de terre
- 150 g de farine
- 1 verre de lait
- 2 cuil. à soupe d'huile de tournesol
- 2 œufs
- Sel, poivre

Pour la cuisson :

- Huile

1 Lavez et épluchez les pommes de terre. Râpez-les finement. Mettez-les dans une terrine avec la farine, le lait, les œufs, l'huile de tournesol, du sel et du poivre. Battez le tout énergiquement, de préférence avec un batteur électrique. Si le mélange n'est pas assez compact, rajoutez une poignée de farine.

2 Faites chauffer l'huile dans une poêle anti-adhésive suffisamment grande (environ 26 cm de diamètre) pour que vous puissiez y verser la pâte d'un seul coup. Vous devez obtenir une galette épaisse de 2 cm.

3 Faites cuire pendant 3 min, à feu moyen, tout en tassant la pâte avec le dos d'une cuillère en bois pour bien former la galette. Puis retournez-la et faites cuire encore 4 à 5 min de la même façon, jusqu'à ce que le dessus soit coloré. Servez chaud, en accompagnement de viandes ou de volailles.

Conseil

Ajoutez à cette galette des lardons, du jambon ou du fromage râpé. Escortez le tout d'une salade verte, et vous aurez ainsi un repas complet.

Bourriols auvergnats

pour **6 personnes (12 crêpes)** – préparation : **40 minutes** –
repos de la pâte : **2 à 3 heures** – cuisson : **2 minutes par crêpe**

difficulté : ★ – coût : 🪙

- 300 g de farine de froment
- 100 g de farine de sarrasin ou de farine complète
- 20 g de levure boulangère
- 1 cuil. à café de sucre
- 1 verre de lait

1 Délayez la levure et le sucre dans un demi-verre d'eau tiède et laissez fermenter pendant 5 min.

2 Mélangez les deux farines dans une grande terrine. Ajoutez la levure délayée et 20 cl d'eau tiède. Travaillez le tout jusqu'à l'obtention d'une pâte homogène et élastique, que vous laisserez gonfler à couvert pendant 2 à 3 h dans un endroit tiède.

Pour la cuisson :

- Beurre ou matière grasse

3 Ajoutez le verre de lait à la pâte pour obtenir une consistance fluide et claire. Mélangez soigneusement. La pâte doit pouvoir être prélevée à la louche. Au besoin, rajoutez un peu plus de lait ou d'eau.

4 Procédez à la cuisson des bourriols : faites chauffer une poêle anti-adhésive, graissez-la et faites-y cuire des crêpes très fines, le résultat sera meilleur.

Conseil

Ces bourriols, qui s'apparentent par leur aspect aux galettes classiques, font office de pain, en Auvergne, et accompagnent le repas. On peut aussi les tartiner de beurre et de confiture à l'heure du petit-déjeuner ou du goûter.

Pannequets Colette

pour **4 personnes** – préparation : **25 minutes** – cuisson : **15 à 20 minutes**

difficulté : ★★ – coût : 🍴🍴

- 8 galettes
- 200 g de blancs de poulet
- 300 g de champignons de Paris
- 2 cuil. à soupe de crème fraîche
- 2 cuil. à soupe d'huile
- Parmesan râpé
- Sel, poivre

Pour la béchamel :

- 1/3 litre de lait
- 2 cuil. à soupe de farine
- 1 œuf
- 50 g de beurre + beurre pour le plat
- 1 pincée de noix de muscade
- Sel, poivre

1 Lavez les champignons et coupez-les en petits morceaux. Coupez le poulet en dés. Faites chauffer l'huile dans une sauteuse et faites-y revenir les morceaux de volaille pendant 5 min. Ajoutez les champignons et faites-les revenir aussi 5 min. Salez et poivrez. Ajoutez la crème fraîche.

2 Allumez le four à 180 °C (th. 6). Garnissez chaque crêpe avec un peu de la préparation poulet-champignons, puis roulez-les en cigare. Rangez-les dans un plat à gratin beurré.

3 Préparez la béchamel : mélangez à froid la farine, le lait, du sel et du poivre. Parfumez de noix muscade, puis amenez à ébullition à feu moyen en remuant. Ajoutez le beurre. Éteignez le feu et cassez l'œuf tout en mélangeant.

4 Versez la béchamel sur les pannequets, parsemez du parmesan et faites gratiner au four pendant 15 à 20 min.

Conseil
Cette recette est parfaite pour utiliser tout reste de volaille, de viande ou de poisson.

Crêpes au riz

pour **12 à 15 crêpes** – préparation : **15 minutes** – repos de la pâte : **1 à 2 heures**
cuisson : **15 minutes + 2 minutes par crêpe**

difficulté : ★★ – coût : 🍴 🍴

- 250 g de farine de froment
- 2 œufs
- 2 verres de lait
- 20 cl de crème fluide
- 1 sachet de levure chimique
- 50 g de riz à grains ronds

1 Préparez la pâte à crêpes en mélangeant la farine, les œufs, 1 verre de lait, la crème fluide et la levure chimique. Couvrez et laissez reposer 1 à 2 h à température ambiante.

2 Faites chauffer le second verre de lait additionné d'un demi-verre d'eau dans une casserole. Faites-y cuire le riz à feu moyen et à couvert, en ayant soin de remuer pour que les grains n'attachent pas. Comptez environ 15 min de cuisson : le riz doit avoir absorbé tout le liquide.

3 Incorporez le riz bien cuit à la pâte à crêpes, mélangez, puis procédez à la cuisson comme s'il s'agissait de crêpes traditionnelles.

Conseil
Vous pouvez servir ces crêpes avec de la mélasse liquide, du sirop d'érable, ou tout simplement avec du beurre fondu et du sucre.

Tortillas

pour **environ 10 tortillas** – préparation : **40 minutes**
temps de levage : **15 minutes** – cuisson : **1 minute par tortillas**

difficulté : ★ – coût : ◔

- 3oo g de farine de maïs
- 1 cuil. à café de sel

Pour badigeonner :
- 2 cuil. à soupe d'huile d'olive

1 Dans une terrine, mélangez la farine et le sel avec 15 cl d'eau, jusqu'à l'obtention d'une pâte molle et souple qui ne colle plus aux parois. Au besoin, rajoutez un peu de farine ou d'eau. Couvrez la terrine et laissez reposer la pâte pendant 15 min.

2 Formez avec cette pâte une dizaine de petites boules. Badigeonnez chacune d'entre elles d'un peu d'huile d'olive, puis étalez-les finement au rouleau à pâtisserie entre deux films plastiques.

3 Faites chauffer une poêle anti-adhésive sans matière grasse et faites-y dorer les tortillas 30 secondes de chaque côté.

Conseil

Ces délicieuses galettes mexicaines se dégustent moelleuses, farcies et roulées en guise de plat principal. Mais on les sert aussi grillées et croquantes en hors-d'œuvre ou à l'apéritif, escortées de diverses sauces à la tomate, au guacamole ou au fromage, et relevées d'une pointe de piment. Frites, enfin, elles accompagnent les plats en sauce tels que le chili con carne, plat de haricots rouges à la viande et aux épices.

Crêpes des îles

pour **4 personnes** – préparation : **15 minutes** – repos de la pâte : **1 à 2 heures**
cuisson : **5 minutes par crêpe**
difficulté : ★ ★ – coût : 🌐 🌐

- 150 g de farine de sarrasin
- 50 g de sucre
- 2 œufs
- 10 cl de crème
- 10 cl de lait
- 1 pincée de sel
- 2 cuil. à soupe de rhum
- 4 rondelles d'ananas
- Sucre glace

1 Préparez la pâte à crêpes en mélangeant intimement la farine, le sucre, les œufs, la crème, le lait et le sel. Parfumez au rhum. Laissez reposer pendant 1 à 2 h à température ambiante.

2 Étalez une fine couche de pâte dans une crêpière et faites-la cuire 1 min. Retournez-la, ajoutez la rondelle d'ananas et recouvrez-la d'un peu de pâte (1/2 louche). Laissez cuire 1 min, retournez et faites cuire encore 30 secondes.

3 Saupoudrez de sucre glace et servez sans plier la crêpe.

Crêpes farcies
à la crème de semoule

pour **6 personnes** – préparation : **20 minutes** – réfrigération : **2 heures**

cuisson : **20 minutes**

difficulté : ★★ – coût : 🍳 🍳

- 6 crêpes assez grandes et épaisses
- Sucre glace
- 6 longs zestes de citron

Pour la crème de semoule :
- 1 litre de lait
- 1 tasse de semoule de blé fine (150 g)
- 3 cuil. à soupe d'eau de fleur d'oranger
- 100 g de sucre cristallisé

Pour la cuisson :
- Huile pour friture

1 Versez le lait dans une casserole, ajoutez la semoule. Amenez à ébullition à feu doux en tournant constamment.

2 Ajoutez l'eau de fleur d'oranger et le sucre. Mélangez. Versez dans un grand plat carré ou rectangulaire et laissez refroidir 2 h au réfrigérateur. Lorsque la crème s'est solidifiée, découpez-la en carrés ou en losanges.

3 Étalez une grande crêpe, garnissez-la d'un morceau de crème et ramenez-en les bords que vous liez avec un long zeste de citron comme vous indique sur la photo.

4 Faites chauffer l'huile dans une friteuse, plongez-y les crêpes une par une, et faites-les frire 1 à 2 min. Retirez-les avec une écumoire et posez-les sur une assiette garnie de papier absorbant. Saupoudrez de sucre glace et servez aussitôt.